如何帮助孩子学会拥有耐心

亲爱的家长/老师，《和朋友们一起想办法》系列的《怕热的小猪》讲述的是，天气非常炎热，小猪波莉被太阳晒得直喘气，糟糕的是农场停水了！"别担心，我有办法！"弗瑞德先生耐心尝试，终于让大家都能够洗上澡。**我们如何结合故事内容，帮助孩子学会拥有耐心，通过不断努力解决问题呢？**

一是以身作则，树立榜样。父母遇事不要焦躁，应尽可能冷静镇定、沉着应对，孩子看在眼里就会以此为榜样。家长在适当的时机，可以把遇到的问题向孩子说明，并听取意见，在此后的处理过程中，引导孩子同步加以关注，最终问题如得以解决，则共同分享快乐，如果失败了，则一起分析总结得失。

二是家长要对孩子有耐心，相互尊重。当孩子遇到困难向您求助时，家长要有耐心了解详细情况，并给予积极的反应和帮助。当孩子犯错时，家长要做到帮助其分析问题所在，找出错误的根源，一起面对，而不是一味指责。家长要对孩子学会尊重、诚信、宽容，多和孩子沟通，互相信任和尊重。

三是有意识地让孩子学会等待。在不少家庭里，孩子要什么，家长只要能办到都会尽量去满足。但是这种"过于及时"的回应，有可能使孩子变得以自我中心，而做事情时则容易只凭兴趣，有始无终。其实，父母需要学会延迟满足：当孩子提出要求的时候，先不要马上满足孩子的需求，而是以渐进的方式或有条件地让孩子学习等待与接受。

帮助孩子改掉马虎毛躁的毛病

要彻底解决孩子粗心毛躁的问题，作为家长需要分析我们自己存在的一些误区。

一是不要给孩子施加过多的压力。粗心毛躁的孩子，多数思维敏捷。家长如果没有耐心，一再地提醒孩子做什么怎么做，等于又加强了他的依赖性；经常从旁着急地教训，也会妨碍孩子专注力的形成。要记得凡事适可而止，只在必要时给予孩子提示。

二是不要包揽事情，每件事情都抢着干。其实日常生活中的每件小事对孩子都是莫大的锻炼，坚持从头到尾自己完成可以培养他们良好的生活习惯和自理能力。家长一定要给孩子足够的时间自己完成，当孩子有所改进时，要及时肯定鼓励。

（故事爸爸、童书编辑　陈喜嘉）

请家长/老师在和小朋友一起阅读完故事后，引导孩子开展以下的阅读互动。

解决问题小达人加油站

小朋友，看完了《怕热的小猪》，让我们来回忆一下故事吧，看看你还记得多少有趣的情节。

1. 今天的天气怎样？小猪波莉为什么一定要洗个泥水澡？

2. 鸭子多蒂为什么不让弗瑞德去它的池塘里提水呢？

3. 一开始弗瑞德想了哪些办法想让小猪洗澡？

4. 故事的最后，缺水的问题是怎么解决的？

如果让你想办法，你会用哪些办法帮农场里的动物洗上澡呢？（家长或者老师也要想想办法，并且一定要记得对小朋友提出的建议给予鼓励和掌声呀！）

你解决问题的方法：

图书在版编目（CIP）数据

怕热的小猪 /〔英〕戈尔德萨克著；〔英〕斯莫尔曼绘；柳漾译. 一武汉：长江少年儿童出版社, 2014.10
（和朋友们一起想办法）
书名原文：The mud bath
ISBN 978-7-5560-1488-0

Ⅰ.①怕… Ⅱ.①戈… ②斯… ③柳… Ⅲ.①儿童文学 - 图画故事 - 英国 - 现代 Ⅳ.①I561.85

中国版本图书馆CIP数据核字（2014）第218945号

怕热的小猪

〔英〕加比·戈尔德萨克 / 著　〔英〕史蒂夫·斯莫尔曼 / 绘　柳 漾 / 译
策划编辑 / 陈喜嘉
责任编辑 / 傅一新　佟 一　陈喜嘉
装帧设计 / 胡馨予　美术编辑 / 胡馨予
出版发行 / 长江少年儿童出版社
经销 / 全国新华书店
印刷 / 广东广州日报传媒股份有限公司印务分公司
开本 / 787×1092　1/12　2.5 印张
版次 / 2018 年 12 月第 1 版第 37 次印刷
书号 / ISBN 978-7-5560-1488-0
定价 / 9.00 元

The Mud Bath

本书中文简体字版权经 Parragon Publishing (China) Limited 授予心喜阅信息咨询（深圳）有限公司，由长江少年儿童出版社独家出版发行。
版权所有，侵权必究。

策划 / 心喜阅信息咨询（深圳）有限公司　咨询热线 / 0755-82705599　销售热线 / 027-87396822　http://www.lovereadingbooks.com

和朋友们一起想办法
怕热的小猪

〔英〕加比·戈尔德萨克／著　〔英〕史蒂夫·斯莫尔曼／绘　柳 漾／译

长江出版传媒 ｜ 长江少年儿童出版社

这天，天气变得很炎热，农场的动物们又热又渴。农场主弗瑞德先生一边得意地吹着口哨，一边拿着水桶走近水龙头。

弗瑞德拧开水龙头，只听到吱吱响，却不见一滴水流出来。接着，他试了试院子里所有的水龙头，没有一个能流出水来。

"真不敢相信！"弗瑞德冲太太珍妮喊，"停水了！"

"我马上打电话给自来水公司。"珍妮回答说。

这时候，牧羊犬帕奇正准备去查看羊群。在经过小猪波莉家的时候，他听到波莉呼噜呼噜地在发牢骚："我的泥水坑已经干了！要是再不洗个泥水澡，我肯定会蒸发掉的！"

"我去告诉弗瑞德先生。"帕奇说，"他肯定有办法！"

"噢，天啊！"弗瑞德闻讯赶来，他一看见波莉就叫起来，"你应该马上洗个泥水澡！可是，管道里没水了。"

就在这时，他听到鸭子多蒂在呱呱叫。

　　"有办法了！" 弗瑞德拎起水桶，跑到池塘边开始盛水。

　　"呱呱，呱呱！"多蒂生气地大叫——池塘里的水也快不够鸭子们游泳了。

　　"我还是去溪边提水吧。"弗瑞德做出决定。

弗瑞德拎着两只水桶，在溪边装满水，然后向波莉家走去。他把水倒在波莉平时洗澡的泥水坑，接着再去溪边提水。

弗瑞德来来回回地忙个不停。可是，在停下来休息时，他简直不敢相信自己的眼睛——波莉的泥水坑还是和刚才一样干枯！

"天啊！水蒸发得比我倒水还快！"弗瑞德有点儿无奈。

"嗯，也许老马哈利能帮上忙。"弗瑞德这样想。但是，当他把两桶水放到哈利的背上时，哈利跺了跺脚，一动不动。

"嘶嘶，嘶嘶！"哈利抱怨着——这么热的天气还要他工作，他不乐意。

"噢，天哪！"弗瑞德一边用帽子给波莉扇风，一边说，"怎么才能让你洗上泥水澡呢？"

　　这时，弗瑞德发现挤奶室的墙角有一卷塑料水管。

　　"别担心！我有办法！"他随后抓起水管，跑回储物间。

弗瑞德在储物间里捣鼓了一会儿。

不一会儿，储物间的门开了。动物们都往后退，弗瑞德
推着一台套着水管的奇怪机器走了出来。

"大家快看！"弗瑞德解
释说，"这是泵动式太阳能抽水机，有了它很快大家就能
痛痛快快地洗澡了！"

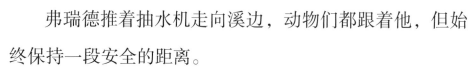

　　弗瑞德推着抽水机走向溪边，动物们都跟着他，但始终保持一段安全的距离。

　　"他总是这样，真拿他没办法！"哈利嘶嘶地说着，摇了摇头。

　　弗瑞德转动抽水机上的开关，动物们都屏住了呼吸，大家听到抽水机开始吱吱地响。

　　"现在，大家等着出水吧！"弗瑞德大喊。不过，水管里没什么动静，一滴水也没出来。

　　"啊，水管肯定堵住了。"弗瑞德拿起水管末端瞄了瞄。

突然，水管发出嘶嘶声，并且开始蠕动。

"哗啦！"水管一下子喷出水来，追赶着弗瑞德，在波莉的猪舍周围扭来绕去，大家被吓得到处乱跑。

弗瑞德跌坐在小猪波莉旁边。

"看来你还是没法洗澡！"这时，弗瑞德突然感到有水滴落在头上。

"啊，太好了，下雨啦！"他欢呼着，开始哼起小曲儿。

"汪汪，汪汪！"帕奇抬头看着树上，同样叫个不停。弗瑞德也抬头看了看，原来不是下雨，而是水管缠在了树上，这回大家都能痛快地洗个澡了。

就在这时，珍妮来到猪舍旁边，她带来了好消息。

"自来水公司说刚才有一处水管爆了，现在已经修好，水龙头应该很快就可以出水了。"